在庆祝澳门回归祖国二十周年大会暨澳门特别行政区第五届政府就职典礼上的讲话

（2019年12月20日）

习 近 平

人 民 出 版 社

在庆祝澳门回归祖国二十周年大会暨澳门特别行政区第五届政府就职典礼上的讲话

（2019 年 12 月 20 日）

习 近 平

同志们，朋友们：

前不久，我们隆重庆祝了中华人民共和国成立70 周年，今天又满怀喜悦庆祝澳门回归祖国 20 周年。首先，我谨代表中央政府和全国各族人民，向全体澳门居民表示诚挚的问候！向新就任的澳门特别行政区第五任行政长官贺一诚先生和第五届政府主要官员、行政会委员，表示热烈的祝贺！向所有关心、支持澳门发展的海内外同胞和国际友人，表示衷心的感谢！

20 年前的今天，饱经沧桑的澳门回到祖国怀抱，中华人民共和国澳门特别行政区宣告成立，开启了澳门历史新纪元。20 年来，在中央政府和祖国内地大力支持下，在何厚铧、崔世安两位行政长官带领下，澳门特别行政区政府和社会各界人士同心协力，开创了澳门历史上最好的发展局面，谱写了具有澳门特色的“一国两制”成功实践的华彩篇章。

——澳门回归祖国 20 年来，以宪法和澳门基本法为基础的宪制秩序牢固确立，治理体系日益完善。澳门特别行政区坚决维护中央全面管治权，正确行使高度自治权。顺利完成基本法第 23 条和国歌法等本地立法，成立特别行政区维护国家安全委员会，维护国家主权、安全、发展利益的宪制责任有效落实。行政、立法、司法机关严格依法履行职责，正确处理相互关系，自觉维护行政长官权威，确保以行政长官为核心的行政主导体制顺畅运行。特别行政区民主政制有序发展，澳门居民依法享有的广泛权利和自由得到充分保障。

——澳门回归祖国 20 年来，经济实现跨越发展，居民生活持续改善。“一中心、一平台、一基地”建设扎实推进，人均地区生产总值大幅增长，跃居世界第二。经济适度多元发展成效初显，会展、中医药、特色金融等新兴产业方兴未艾。参与共建“一带一路”和粤港澳大湾区建设取得积极进展。民生福利水平显著提升，免费教育、免费医疗、双层式社会保障等一系列政策惠及全社会，澳门居民获得感、幸福感越来越强。

——澳门回归祖国20年来，社会保持稳定和谐，多元文化交相辉映。回归前治安不靖的状况得到迅速扭转，澳门成为世界最安全的城市之一。政府和市民、不同界别、不同族群保持密切沟通，社会各界理性表达各种诉求，形成良好协调机制。中华文化传承光大，多元文化异彩纷呈。

同胞们、朋友们！

澳门回归祖国20年来取得的成就举世瞩目。澳门地方虽小，但在“一国两制”实践中作用独特。总结澳门“一国两制”成功实践，可以获得以下4点重要经验。

第一，始终坚定“一国两制”制度自信。广大澳门同胞发自内心拥护“一国两制”，认同“一国两制”是澳门保持长期繁荣稳定的最佳制度。在践行“一国两制”过程中，特别行政区政府和社会各界坚持把维护国家主权、安全、发展利益和维护澳门长期繁荣稳定统一起来，意志坚定，从不为一时之曲折而动摇，从不为外部之干扰而迷惘，善于把握国家重大发展战略和一系列政策支持带来的机遇，乘势而上，在融入国家发展大局中实现自身更好发展。

澳门的成功实践告诉我们，只要对"一国两制"坚信而笃行，"一国两制"的生命力和优越性就会充分显现出来。

第二，始终准确把握"一国两制"正确方向。广大澳门同胞深刻认同"一国"是"两制"的前提和基础，旗帜鲜明维护宪法和基本法确定的宪制秩序，尊重国家主体实行的社会主义制度，正确处理涉及中央和特别行政区关系的有关问题。特别行政区行政、立法、司法机关坚持把维护中央对特别行政区全面管治权和保障特别行政区高度自治权有机结合起来，坚守"一国"原则底线，自觉维护中央权力和基本法权威。

澳门的成功实践告诉我们，确保"一国两制"实践不变形、不走样，才能推动"一国两制"事业行得稳、走得远。

第三，始终强化"一国两制"使命担当。广大澳门同胞以主人翁意识，自觉站在国家整体利益和澳门根本利益的立场上考虑问题，把成功实行“一国两制”、“澳人治澳”、高度自治作为共同使命，并把这一担当同实现中华民族伟大复兴的中国梦紧密联系在一起。特别行政区政府团结带领社会各界人士，积极探索适合澳门实际的治理方式和发展路径，相继提出“固本培元、稳健发展”、“全面提升澳门社会综合生活素质”、“传承创新、共建和谐”、“同心致远、共享繁荣”等施政方针，集中精力发展经济，切实有效改善民生，坚定不移守护法治，循序渐进推进民主，包容共济促进和谐，让澳门焕发出蓬勃向上的生机活力。

澳门的成功实践告诉我们，当家作主的澳门同胞完全能够担负起时代重任，把特别行政区管理好、建设好、发展好。

第四，始终筑牢“一国两制”社会政治基础。广大澳门同胞素有爱国传统，有强烈的国家认同感、归属感和民族自豪感，这是“一国两制”在澳门成功实践的最重要原因。特别行政区政府和社会各界高度重视弘扬爱国传统，坚决落实以爱国者为主体的“澳人治澳”，特别行政区政权机关均以爱国者为主组成，爱国爱澳力量日益发展壮大，爱国爱澳核心价值在澳门社会居于主导地位。在行政长官亲自领导、政府部门切实履职、社会各界共同参与下，澳门各类学校的爱国主义教育有声有色，国家意识和爱国精神在青少年心田中深深扎根。

澳门的成功实践告诉我们，不断巩固和发展同“一国两制”实践相适应的社会政治基础，在爱国爱澳旗帜下实现最广泛的团结，是“一国两制”始终沿着正确轨道前进的根本保障。

同胞们、朋友们！

“一国两制”事业任重道远。面对世界百年未有之大变局，面对澳门内外环境新变化，澳门特别行政区新一届政府和社会各界要站高望远、居安思危，守正创新、务实有为，在已有成就的基础上推动澳门特别行政区各项建设事业跃上新台阶。我在这里提4点希望。

一是坚持与时俱进，进一步提升特别行政区治理水平。古人说：“善为政者，弊则补之，决则塞之。”要适应现代社会治理发展变化及其新要求，推进公共行政等制度改革，提高政府管治效能，促进治理体系和治理能力现代化。要把依法办事作为特别行政区治理的基本准则，不断健全完善依法治澳的制度体系。要善用科技，加快建设智慧城市，以大数据等信息化技术推进政府管理和社会治理模式创新，不断促进政府决策科学化、社会治理精准化、公共服务高效化。

二是坚持开拓创新，进一步推动经济持续健康发展。要着眼长远、加强谋划，围绕“一中心、一平台、一基地”的目标定位，坚持规划先行，注重统筹协调，有序推进各项部署。要结合澳门实际，在科学论证基础上，选准经济适度多元发展的主攻方向和相关重大项目，从政策、人力、财力等方面多管齐下，聚力攻坚。要积极对接国家战略，把握共建“一带一路”和粤港澳大湾区建设的机遇，更好发挥自身所长，增强竞争优势。当前，特别要做好珠澳合作开发横琴这篇文章，为澳门长远发展开辟广阔空间、注入新动力。

三是坚持以人为本，进一步保障和改善民生。要坚持发展的目的是为广大市民创造更加美好的生活，采取更加公正、合理、普惠的制度安排，确保广大市民分享发展成果。要结合发展需要和市民需求，加强交通、能源、环保、信息、城市安全等公共基础设施建设，改善市民生活环境，提升市民生活质量。要积极回应市民关切，着力解决住房、医疗、养老等方面的突出问题，更加关注对弱势群体的帮助和扶持。要不断提高教育水平，打造高标准教育体系，为青少年成长成才创造更好条件。

四是坚持包容共济，进一步促进社会和谐稳定。要坚持和弘扬爱国爱澳核心价值，广泛凝聚共建澳门的社会共识。要加强社团建设，充分发挥众多爱国爱澳社团在政府和市民之间的沟通桥梁作用。要保持澳门社会讲团结、重协商的传统，有事多商量，做事多协调，妥善处理社会矛盾，共同维护社会祥和。要发挥澳门中西文化荟萃的优势，助力国际人文交流，促进世界文明互鉴。

同胞们、朋友们！

我要在此强调的是，香港、澳门回归祖国后，处理这两个特别行政区的事务完全是中国内政，用不着任何外部势力指手画脚。中国政府和中国人民维护国家主权、安全、发展利益的意志坚如磐石，我们绝不允许任何外部势力干预香港、澳门事务！

同胞们、朋友们！

上个世纪80年代初，邓小平同志等老一辈领导人提出“一国两制”伟大构想时，就坚信这个方针是对头的，是行得通、办得到、得人心的。30 多年来，“一国两制”实践取得的成功举世公认。当然，“一国两制”的制度体系也要在实践中不断加以完善。我们坚信，包括港澳同胞在内的中国人民完全有智慧、有能力把“一国两制”实践发展得更好，把“一国两制”制度体系完善得更好，把特别行政区治理得更好。中华民族伟大复兴的前进步伐势不可挡，香港、澳门与祖国内地同发展、共繁荣的道路必将越走越宽广！

谢谢大家。

图书在版编目(CIP)数据

在庆祝澳门回归祖国二十周年大会暨澳门特别行政区第五届政府就职典礼上的讲话/习近平 著. —北京:人民出版社,2019.12
ISBN 978-7-01-021795-6

Ⅰ.①在… Ⅱ.①习… Ⅲ.①习近平-讲话②方针政策-澳门 Ⅳ.①D2-0②D676.590.9

中国版本图书馆 CIP 数据核字(2019)第 302107 号

(RMC-ZJDXI-083-20191220)

在庆祝澳门回归祖国二十周年大会暨
澳门特别行政区第五届政府就职典礼上的讲话

ZAI QINGZHU AOMEN HUIGUI ZUGUO ERSHI ZHOUNIAN DAHUI JI
AOMEN TEBIE XINGZHENGQU DIWUJIE ZHENGFU JIUZHI DIANLI SHANG DE JIANGHUA

(2019 年 12 月 20 日)

习 近 平

人民出版社 出版发行
(100706 北京市东城区隆福寺街 99 号)

北京新华印刷有限公司印刷 新华书店经销

2019 年 12 月第 1 版 2019 年 12 月北京第 1 次印刷
开本:880 毫米×1230 毫米 1/32 印张:0.5
字数:7 千字

ISBN 978-7-01-021795-6 定价:2.00 元

邮购地址 100706 北京市东城区隆福寺街 99 号
人民东方图书销售中心 电话 (010)65250042 65289539